Y0-BTZ-469

Saunders, Nick
La historia de... Pizarro y los Incas / autor Nick Saunders ;
Traductor Lina Rojas Camargo. -- Editor Javier R. Mahecha López. -- Bogotá :
Panamericana Editorial, 2013.
52 p. : il. ; 23 cm.
Título original: *The history of... Pizarro and the Incas*
ISBN 978-958-30-4082-5
1. Pizarro, Francisco, 1475?-1541 2. Viajes - Perú 3. Incas - Historia--
Siglo XVI 4. Incas -- Conquista I. Rojas Camargo, Lina, tr. II. Mahecha
López, Javier R., ed. III. Tít.
985.02 cd 21 ed.
A1381637

CEP - Banco de la República. Biblioteca Luis Ángel Arango

Tercera reimpresión, julio de 2019
Primera edición en Panamericana Editorial Ltda.,
abril de 2013
Título original: *The history of... Pizarro and the Incas*

Calle 12 No. 34-30, Tel.: (57 1) 3649000
www.panamericanaeditorial.com
Tienda virtual: www.panamericana.com.co
Bogotá D. C., Colombia

Editor
Panamericana Editorial Ltda.
Traducción del inglés
Lina Rojas Camargo
Diagramación
Catalina Padilla

ISBN 978-958-30-4082-5

Impreso por Panamericana Formas e Impresos S. A.
Calle 65 No. 95-28, Tels.: (57 1) 4302110 - 4300355. Fax: (57 1) 2763008
Bogotá D. C., Colombia
Quien solo actúa como impresor.
Impreso en Colombia - *Printed in Colombia*

La historia de...

PIZARRO Y LOS INCAS

Autor
Nick Saunders

Traducción
Lina Rojas Camargo

Colombia • México • Perú

LOS PERSONAJES

Francisco Pizarro (1475?-1541): *hijo ilegítimo de Gonzalo Pizarro, hermano mayor de Gonzalo, Juan y Hernando, y primo segundo de Hernán Cortés, conquistador del Imperio azteca. Pizarro viajó al Nuevo Mundo en 1502, donde pisó tierra en las Indias Occidentales para más adelante establecerse en la isla de La Española. Su primera expedición, en 1524, fue infructuosa, pero la segunda (1526) y la tercera (1529) le trajeron muchas recompensas. Entre 1532 y 1534, conquistó el Impero inca en el Perú.*

Diego de Almagro (1475-1538): *conquistador compañero de Pizarro que perdió un ojo en la lucha contra los indígenas en Colombia. Acompañó a Pizarro en la conquista del Imperio inca, aunque más adelante rompió todos sus vínculos con este último para formar parte de la expedición en la que se descubrió Chile. Regresó a Perú para tomar posesión del Cuzco, batalla en la cual perdió la vida a manos de Hernando Pizarro.*

Atahualpa (1502-1533): *hijo ilegítimo del emperador inca Huayna Cápac, cuyo centro de operaciones se hallaba en Quito, Ecuador. Pizarro lo capturó en Cajamarca en 1532, lo interrogó sobre el paradero de algunos tesoros y luego lo ejecutó. Atahualpa fue el decimotercero y último jefe del Imperio inca.*

Hernando Pizarro (1501-1578): *medio hermano legítimo de Francisco Pizarro. De muy buena educación, arrogante y bien conectado en los círculos de la realeza, tomó posesión del Cuzco con sus hermanos Juan y Gonzalo y ejecutó a De Almagro en 1538. Acusado de homicidio, pasó 20 años en prisión en España.*

Gonzalo Pizarro (1506-1548): *el menor de los hermanos Pizarro. De carácter rudo y cruel, Gonzalo maltrataba a los incas, lo que causó la revolución de Manco en 1536. Colaboró en el ataque a De Almagro y dirigió una desastrosa expedición en busca de El Dorado en 1540. Más adelante se rebeló contra las normas españolas, por lo que fue ejecutado en 1548.*

CONTENIDO

EL IMPERIO ESPAÑOL

En el siglo XVI, España era el país más poderoso de Europa, además de un enconado enemigo católico de la Inglaterra protestante. España había forjado un vasto imperio colonial en las Américas, empezando con Hernán Cortés, conquistador del Imperio azteca en México (1521). Pero, al mismo tiempo, Sudamérica era una región aún poco explorada. Los rumores de un gran reino del oro desconocido llevaron a Pizarro y otros conquistadores a aventurarse en los lugares que aún no figuraban en los mapas. Lo que encontraron superaba con creces los hallazgos realizados en México.

A finales del siglo XV, el Imperio español abarcaba regiones del norte, del centro y del sur de América.

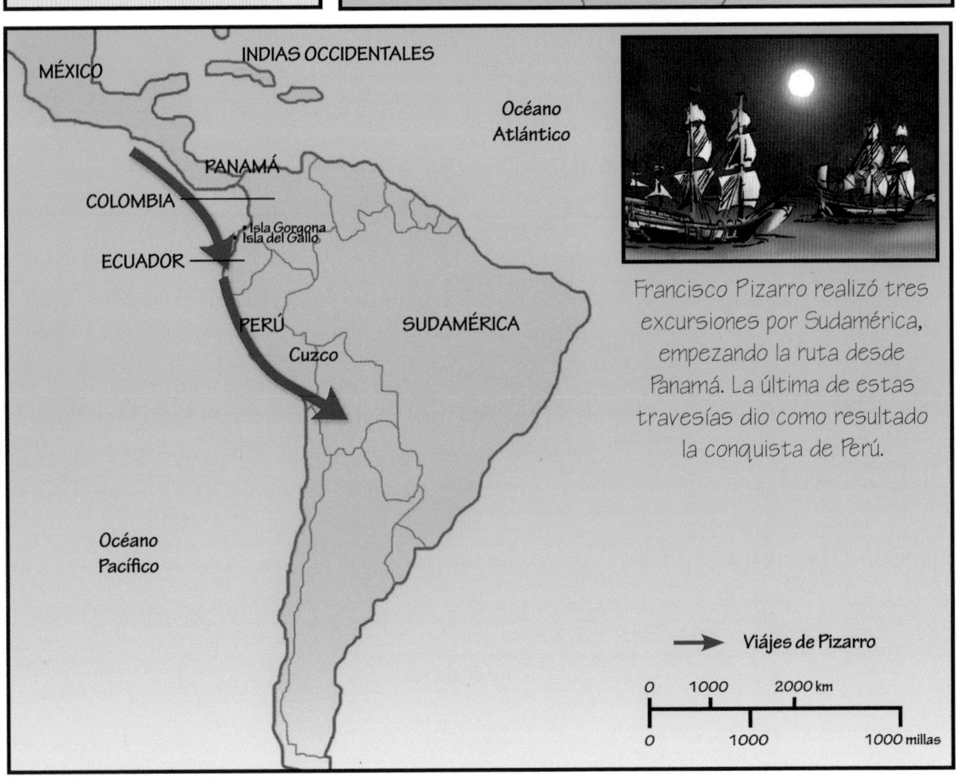

Francisco Pizarro realizó tres excursiones por Sudamérica, empezando la ruta desde Panamá. La última de estas travesías dio como resultado la conquista de Perú.

Los conquistadores españoles eran parte del grupo de soldados más fuertes y mejor armados de toda Europa. Sus armaduras, espadas, arcabuces, cañones y la práctica como jinetes los hacían el terror de sus enemigos en Europa.

Las fuerzas españolas lideradas por Pizarro se enfrentaron cara a cara con los guerreros del Imperio inca, el más extenso y exitoso de todas las civilizaciones de América. A pesar de esto, sus armas estaban fabricadas básicamente de piedra y bronce, y las armas de fuego y los caballos eran aún desconocidos. Igualmente, los incas no eran inmunes a las enfermedades que los españoles trajeron consigo, como la viruela.

UN HUMILDE NACIMIENTO

Ser hijo natural y la pobre educación recibida hicieron de Pizarro el candidato ideal para aventurarse como conquistador, dejando España en busca de fama y fortuna en las Américas. Sus orígenes humildes y su ascenso al poder lo convirtieron en el más emprendedor de los conquistadores españoles.

El año de nacimiento de Francisco Pizarro es desconocido, algunos historiadores establecen que fue en 1475, en la ciudad de Trujillo, en la región de Extremadura, España. Fue hijo ilegítimo de Gonzalo Pizarro, soldado, y el nombre de su madre era Francisca. Fue el mayor de tres hermanos: Gonzalo, Juan y Hernando, quienes lo acompañaron en la conquista del Imperio inca.

El padre de Francisco, Gonzalo, era un distinguido soldado que batalló como coronel de infantería en España e Italia. Debía dejar a su familia sola por largos periodos a causa de su trabajo.
¡Ten cuidado, Gonzalo, vuelve pronto!
¡Adiós, padre, te extrañaremos!
Francisco era primo segundo de Hernán Cortés, quien conquistó el Imperio azteca en México, entre 1519 y 1521.
RAPIDATO
Francisco Pizarro, al ser hijo ilegítimo y recibir una pobre educación, se encontraba en desventaja social en España. Durante toda su vida, su firma consistió en dos líneas curvas, entre las que alguien más escribía su nombre.

Poco se sabe de la infancia de Francisco Pizarro. Al parecer tuvo una adolescencia difícil y la poca educación que recibió no le bastó para aprender a leer y a escribir.
No me importa la escuela. Seré un soldado famoso como mi padre.

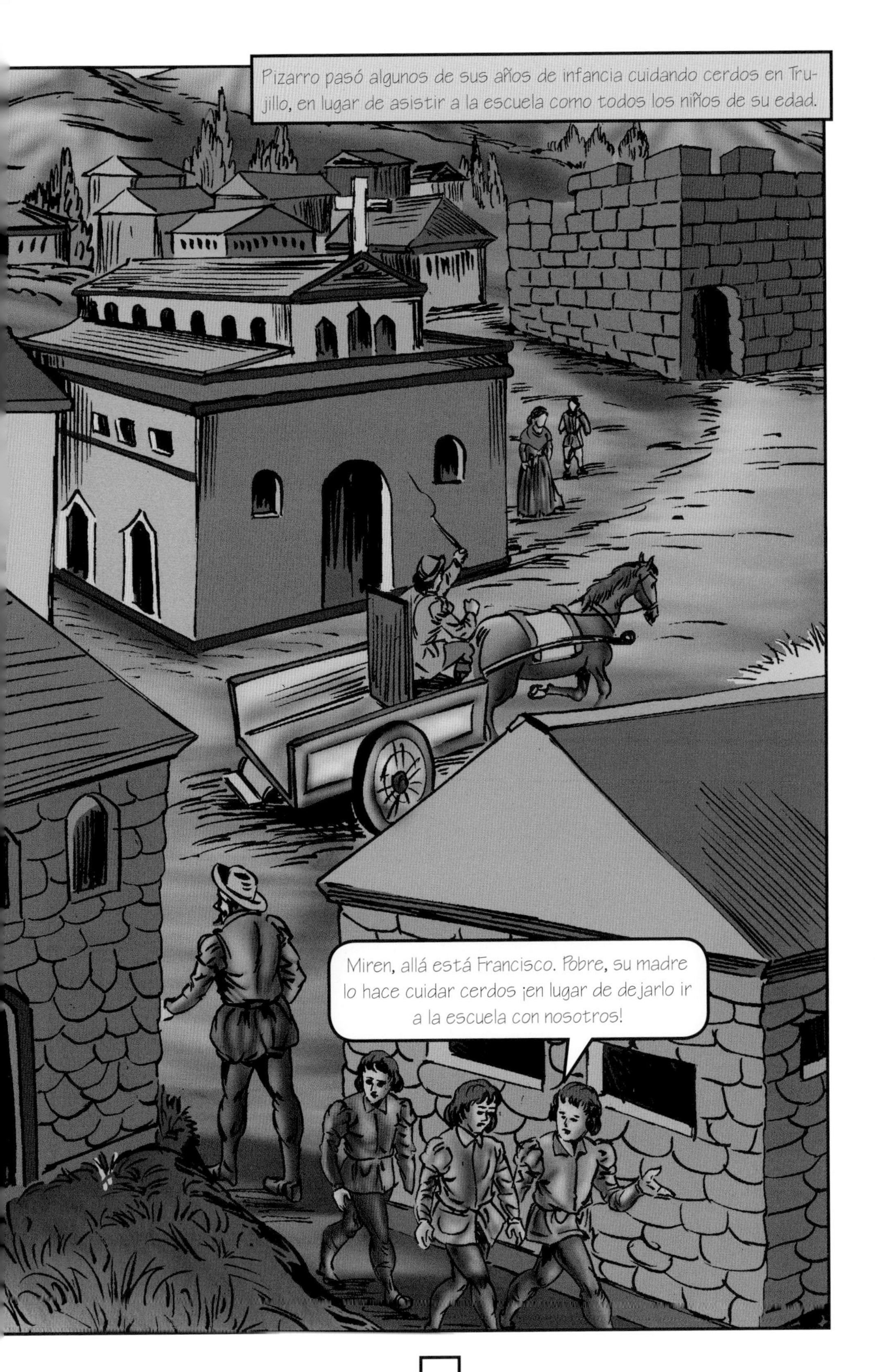
Pizarro pasó algunos de sus años de infancia cuidando cerdos en Trujillo, en lugar de asistir a la escuela como todos los niños de su edad.
Miren, allá está Francisco. Pobre, su madre lo hace cuidar cerdos ¡en lugar de dejarlo ir a la escuela con nosotros!

En 1492, Francisco se encontraba en Sevilla cuando las noticias de los descubrimientos de Colón en las Américas se difundieron en toda España. Pizarro escuchaba atentamente las historias de los conquistadores que regresaban del viaje.

Francisco se sentía inspirado por las historias que escuchaba. Sin embargo, solo fue en 1502, a la edad de 27 años, cuando viajó hacia las Américas en busca de fama y fortuna como conquistador.

Francisco llegó a Santo Domingo, capital de La Española (en la actualidad Haití y República Dominicana). Vivió allí 10 años, durante los cuales formó parte de múltiples expediciones y conquistas.

RAPIDATO

Santo Domingo, capital de la isla caribeña de La Española, era la primera parada de muchos jóvenes españoles. Allí hacían contactos, se integraban a las expediciones y buscaban el patrocinio de patronos adinerados.

En 1510, Francisco conoce al conquistador Alonso de Ojeda y decide unirse a su expedición hacia el golfo de Urabá, entre Panamá y Colombia.
¿Te unirás a la expedición a Urabá?
Sí, Don Alonso, sus planes de conquista son exactamente lo que estoy buscando.

En 1513, Francisco participa en otra expedición a Panamá, en esta ocasión liderada por Vasco Núñez de Balboa.

Francisco cruzó el istmo de Panamá con Balboa y, el 27 de septiembre de 1513, se convirtió en uno de los primeros europeos en América en ver el océano Pacífico. Pizarro también tomó parte de las acciones de terror aplicadas a los indígenas locales, en busca de oro.
En nombre de Dios, ¿qué océano es este? ¡Somos los primeros en presenciar esta maravilla!
¡Señor, este debe ser el océano más grande del mundo!

Vengan, vamos a buscar la aldea, tal vez encontremos oro.

A Pizarro se le otorgó un terreno en Panamá como recompensa por sus servicios, y durante un tiempo se estableció allí trabajando con ganado.

RAPIDATO

Pizarro se sentía motivado al escuchar acerca de las grandes cantidades de oro que su primo había encontrado en México. Sin embargo, como la mayoría de los conquistadores, necesitaba el patrocinio y el apoyo de otros para financiar sus expediciones.

En 1524, Francisco Pizarro unió fuerzas con el conquistador Diego de Almagro y un sacerdote llamado Hernando de Luque para organizar una expedición en la región de la costa occidental de Sudamérica. Se decidió que Pizarro sería el comandante de la misión, De Almagro pondría los víveres y los soldados, y Luque, el dinero. El acuerdo era dividir lo obtenido en partes iguales.
Francisco Pizarro
Bien, amigos, debemos pensar bien en nuestro plan para explorar el océano del sur.
Así es. Tenemos que planearlo todo muy bien y reunir el dinero suficiente.

PRIMERO Y SEGUNDO VIAJES

Las exploraciones de Francisco Pizarro en el noroeste de Sudamérica fueron de gran importancia para el descubrimiento y la conquista del continente. Las expediciones eran sociedades entre hombres de pensamiento similar, todos en busca de poder y riquezas.

El 14 de noviembre de 1524, Pizarro y De Almagro partieron de Panamá con 80 hombres. Luque se quedó para encargarse de enviar más hombres y de la distribución de los víveres.

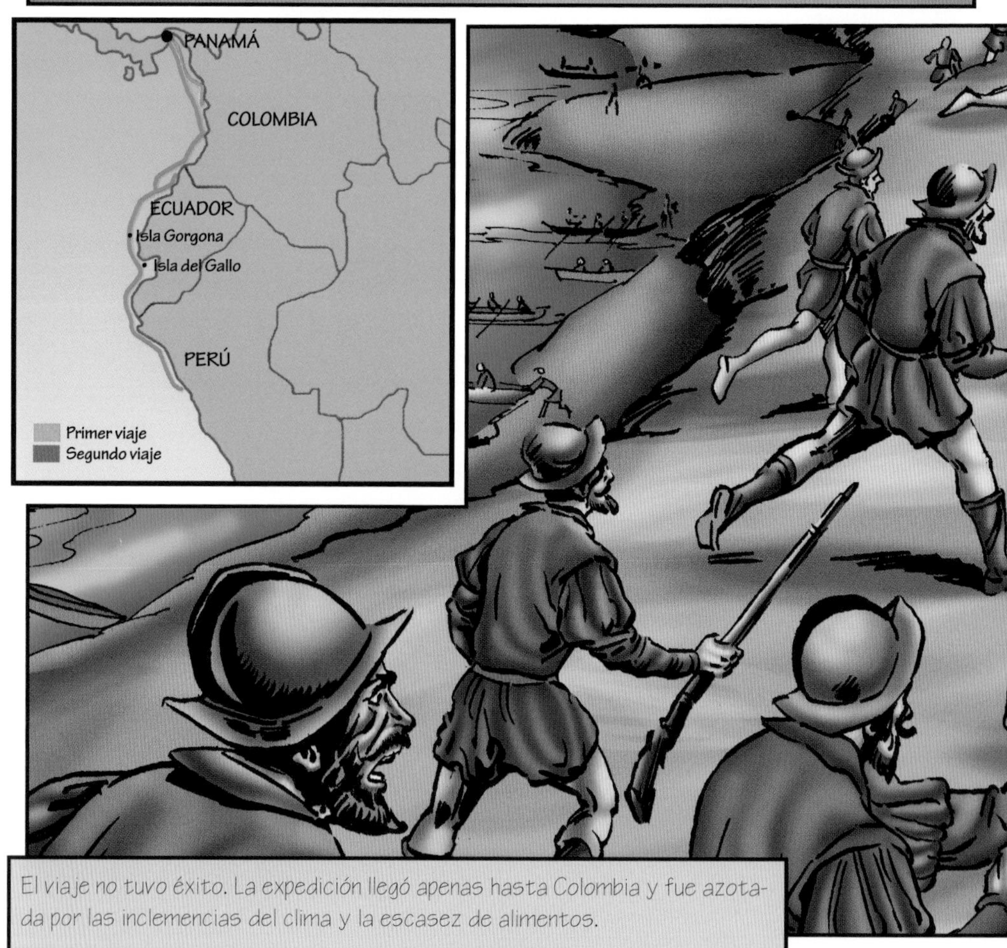

El viaje no tuvo éxito. La expedición llegó apenas hasta Colombia y fue azotada por las inclemencias del clima y la escasez de alimentos.

Los hombres de Pizarro fueron atacados por guerreros indígenas en cada parada que realizaron. Durante una de las batallas, De Almagro perdió un ojo luego de ser atacado con una flecha.

La expedición fue desastrosa y no encontraron oro ni plata. Pizarro ordenó el regreso de la flota a Panamá. La primera exploración infructuosa estuvo marcada por los nombres que le dio a los lugares visitados, como "Puerto del Hambre", "Puerto Quemado" y "Puerto Deseo".

En noviembre de 1526, luego de dos años de preparación, Pizarro emprendió una nueva expedición. Contaba con 160 conquistadores y varios caballos. En este viaje llegó más lejos que en el primero.
¡Miren eso! ¡Tienen cajas llenas de oro y esmeraldas!
¡Ofrezcámosle este regalo a los extranjeros y visitemos su gran embarcación!
El capitán de la nave de Pizarro, Bartolomé Ruiz, capturó una gran balsa construida en madera que encontró cerca de la costa de Ecuador.

Los españoles estaban más que felices al ver que la canoa transportaba oro, plata y esmeraldas, así como cerámicas y textiles. Esto los animó aún más a descubrir las ricas tierras a las que pertenecía aquella embarcación.
¡Vengan, vengan! ¡Traigan sus cosas a mi barco, negociaremos!
Ruiz tomó a varios de los tripulantes de la canoa como prisioneros. Los indígenas aprendieron español y sirvieron más adelante como intérpretes durante la conquista del Imperio inca.
De Almagro llegó con refuerzos de Panamá y se integró a la expedición de Pizarro en el río San Juan, en Ecuador.
¡Qué bueno verte de nuevo, Diego! Te tengo excelentes noticias.
Francisco, gracias a Dios te encuentro, traigo más hombres para la expedición.

La expedición continuó hacia el sur. Sin embargo, Pizarro y De Almagro coincidían en pensar que se necesitaban más hombres. Pizarro decidió hacer una parada en isla del Gallo.
Ten mucho cuidado, Francisco. Volveremos tan pronto como sea posible.
Me quedaré aquí con algunos de mis mejores hombres, Diego, regresa a Panamá y recluta más hombres.
De Almagro regresó una vez más a Panamá mientras Pizarro y trece conquistadores más construyeron una pequeña embarcación en la que viajaron a la cercana isla Gorgona, donde esperaron siete meses.

De Almagro y Ruiz regresaron a Panamá. Llevaban consigo una parte del oro que habían robado de la canoa para reclutar más hombres.

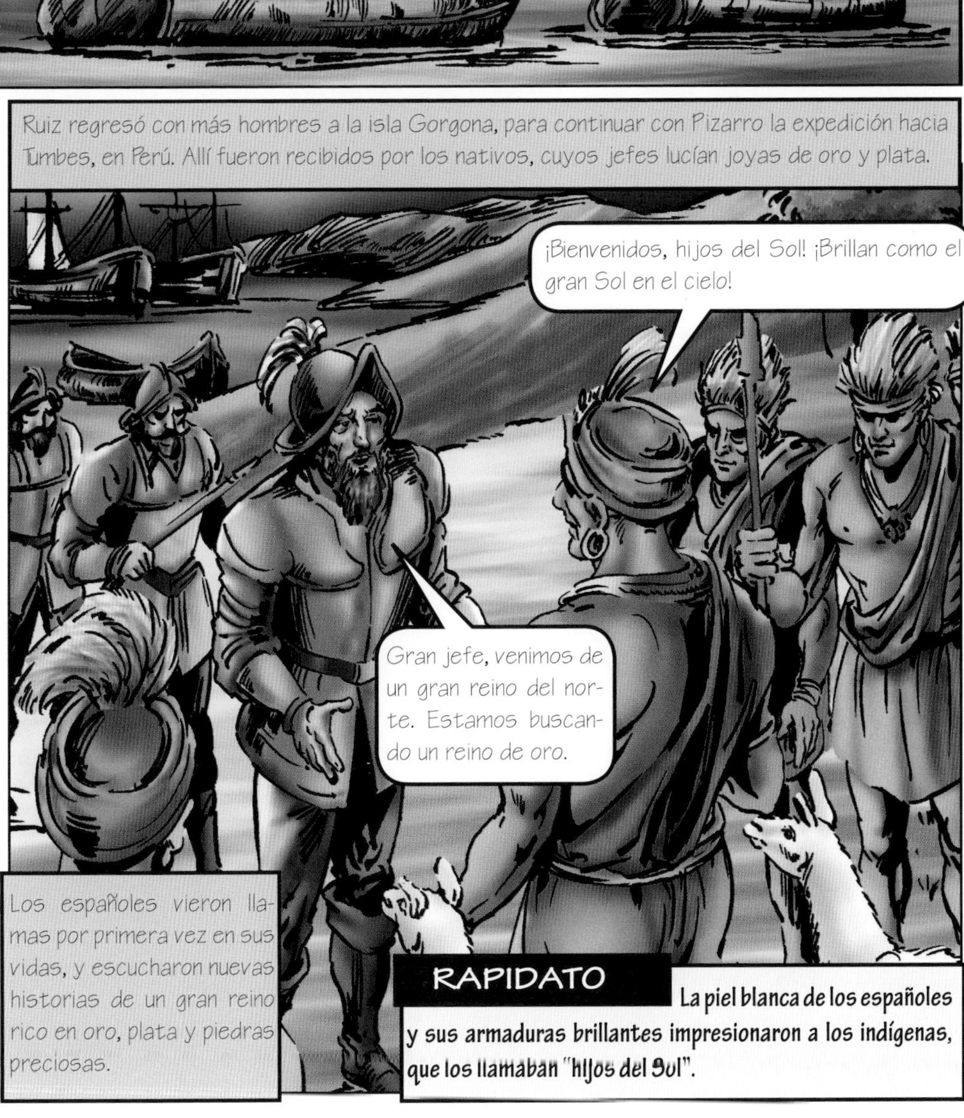
Ruiz regresó con más hombres a la isla Gorgona, para continuar con Pizarro la expedición hacia Tumbes, en Perú. Allí fueron recibidos por los nativos, cuyos jefes lucían joyas de oro y plata.
¡Bienvenidos, hijos del Sol! ¡Brillan como el gran Sol en el cielo!
Gran jefe, venimos de un gran reino del norte. Estamos buscando un reino de oro.
Los españoles vieron llamas por primera vez en sus vidas, y escucharon nuevas historias de un gran reino rico en oro, plata y piedras preciosas.
RAPIDATO
La piel blanca de los españoles y sus armaduras brillantes impresionaron a los indígenas, que los llamaban "hijos del Sol".

Pizarro y sus hombres regresaron a Panamá para preparar una expedición más grande. Sin embargo, el gobernador, Pedro de los Ríos, rehusó apoyarlos, por lo que Pizarro tuvo que volver a España en busca del patrocinio real.
Su majestad, la riqueza de estas tierras es inimaginable. ¡Con su permiso, las conquistaré para Dios y España!
En el verano de 1528, Pizarro llegó a Sevilla. Viajó a la ciudad de Toledo para reunirse con el rey Carlos V, quien se impresionó con la historia sobre las riquezas que planeaba conquistar para la Corona española.

Carlos V autorizó la tercera expedición de Pizarro en Sudamérica. El monarca solicitó la firma de la reina Isabel y nombró a Pizarro gobernador y capitán general de Nueva Sevilla (ahora Perú). Pizarro tenía seis meses para conseguir 250 conquistadores, para lo cual viajó a Trujillo y convenció a su hermano Hernando y otros amigos de unirse al viaje; entre ellos se encontraba Francisco de Orellana, quien más adelante descubriría el río Amazonas.

TERCER VIAJE DE PIZARRO

La suerte de Pizarro cambió en el tercer viaje, cuando llegó a Perú, donde descubrió y conquistó a la civilización más próspera de todas las Américas. El Imperio inca contaba con 12 millones de habitantes, una extensión de 4000 kilómetros de norte a sur a lo largo de los Andes y albergaba cantidades de oro y plata insospechadas.

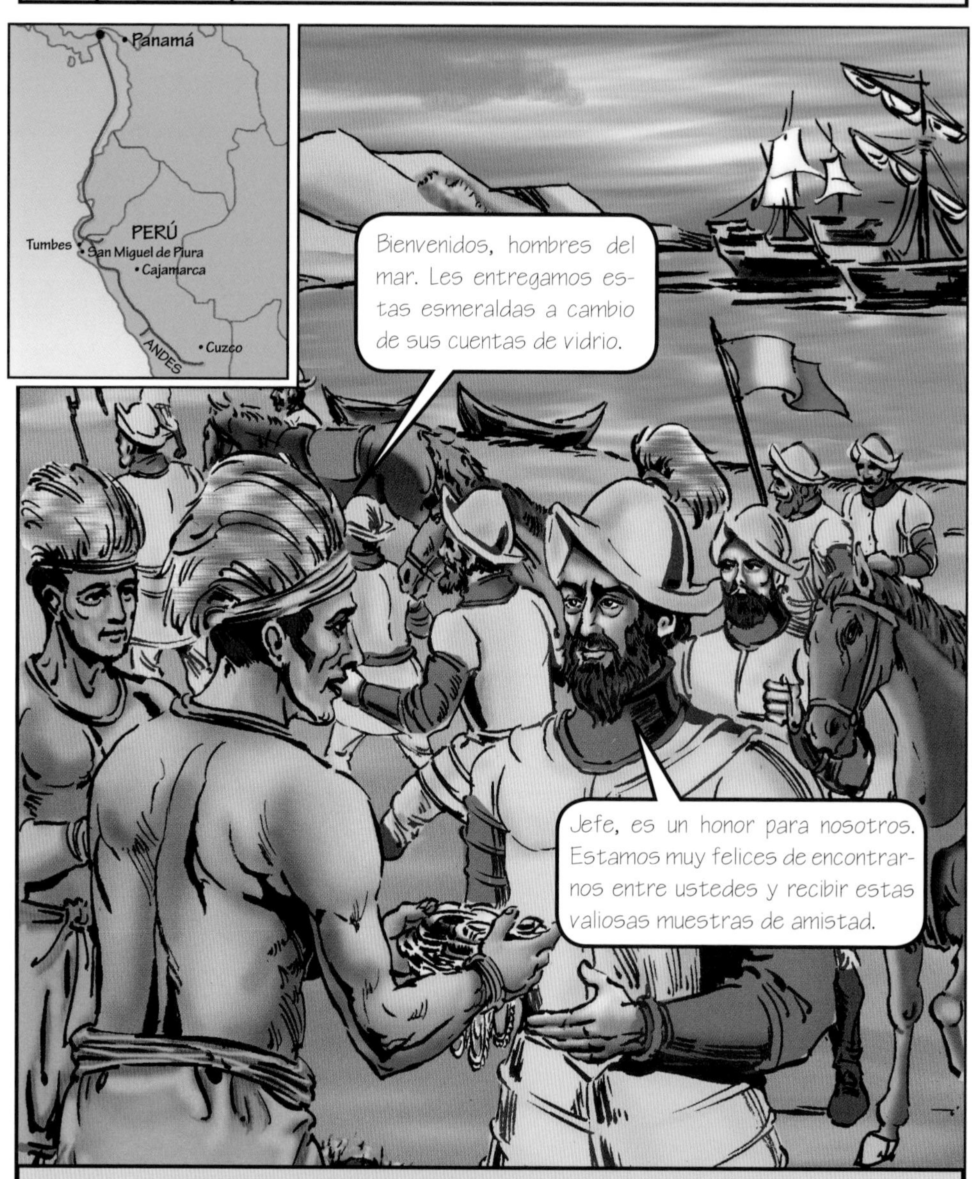

La tercera expedición de Pizarro partió de Panamá el 27 de diciembre de 1530. Primero llegaron a Ecuador, donde fueron recibidos con oro y esmeraldas, que enviaron de vuelta a Panamá para financiar el reclutamiento de más hombres.

Las naves de Pizarro continuaron hasta Tumbes, pero hallaron la población destruida. No había rastro de los conquistadores que habían dejado allí. Pizarro decidió continuar su camino para evitar problemas y buscar más oro.

Los españoles continuaron hacia los Andes. Por el camino fundaron el primer asentamiento europeo en Perú, en San Miguel de Piura, en julio de 1532.

Desde la costa, los españoles podían ver la majestuosidad de los Andes. Los meses siguientes consistieron en una travesía por las montañas hacia la capital inca del Cuzco.

Un enviado del emperador inca Atahualpa llegó al campamento de Pizarro para invitar a los españoles a la ciudad de Cajamarca.

El pequeño grupo de 180 soldados españoles y 27 caballos se adentró en los Andes. Viajaron durante dos meses antes de llegar a Cajamarca, que estaba rodeada de miles de guerreros incas.
¡Adelante, conquistadores! Debemos estar preparados para la batalla.
RAPIDATO
Pizarro había escuchado algunos rumores sobre una guerra civil entre Atahualpa y Huáscar, rivales por el trono inca, lo que para el conquistador suponía una ventaja en la toma de la región.

Pizarro y sus intérpretes hablaron con los jefes incas y acordaron reunirse con Atahualpa en el centro de Cajamarca.
¡Bienvenidos! Nuestro señor, el todopoderoso Atahualpa, los recibirá mañana en el centro de la ciudad.
Dile a tu señor que estamos honrados de conocer a tan importante y poderoso monarca.
Atahualpa llegó a Cajamarca en hombros, en una litera de oro y rodeado de los nobles del Imperio inca.
¡A la carga! ¡Por Dios y por España!
¡Maten a los paganos!

Atahualpa llegó a la ciudad cargado en hombros y acompañado de la nobleza del Imperio. Pero todo era una trampa de Pizarro y la reunión se convirtió en emboscada. Atahualpa no hablaba español ni entendía la importancia de la Biblia que el sacerdote de Pizarro le entregó. Cuando el gobernante tiró la Biblia al suelo, los soldados de Pizarro se enfurecieron, bajaron a Atahualpa de su litera y masacraron a sus acompañantes.
¿Qué es esto? ¡Estamos atrapados!
Pizarro capturó a Atahualpa . El precio de su libertad serían grandes cantidades de oro, piedras y plata.
Atahualpa, es usted mi prisionero, su Imperio debe rendirse.
Pizarro, llenaré estas habitaciones de oro si promete liberarme.

Durante varios meses, los hombres de Atahualpa reunieron todo el oro y la plata del Imperio y lo llevaron a Cajamarca, donde llenaron una habitación con oro y otra con plata. Atahualpa había cumplido con su parte del pacto, pero más traiciones se avecinaban...

Una vez los españoles recibieron las riquezas del Imperio inca, Pizarro rompió su palabra y, en lugar de liberar a Atahualpa, lo mandó ejecutar el 26 de julio de 1533.

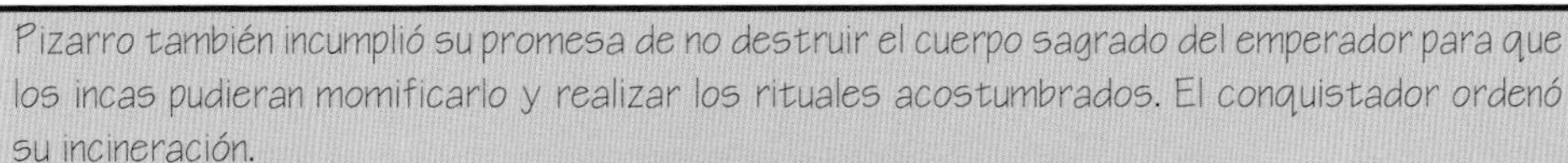

Los incas lloraron y sufrieron con la incineración de Atahualpa. Sus restos recibieron sepultura cristiana, aunque los incas los robaron para ocultarlos en las montañas.

RAPIDATO El precio para liberar a Atahualpa incluía piezas de arte invaluables de oro y plata, parte de la cultura inca, que fueron derretidas y convertidas en lingotes. El valor de los lingotes era por supuesto muy alto, pero nunca se acercaba al valor real que tendrían las piezas originales hoy día.

CONQUISTA DEL IMPERIO INCA

Insólitamente, Pizarro conquistó el vasto Imperio inca con apenas unos cientos de hombres; se aprovechó de la guerra civil en el Imperio, masacró sin piedad alguna al emperador Atahualpa y sacó ventaja de la diferencia entre sus armas y las de los indígenas, aterrorizando al pueblo inca.

Los españoles continuaron su camino hacia el sur y a través de los Andes para llegar a la capital, Cuzco. El viaje duró tres meses y Túpac Hualpa murió en misteriosas circunstancias por el camino. Pizarro nombró un nuevo príncipe, Manco Inca, un nuevo títere de España.
Mantengan la guardia, debe haber guerreros al acecho más adelante.
¡Rápido, no se confíen de los puentes colgantes!
Pizarro finalmente llegó a la fortaleza de Sacsayhuamán, que protegía Cuzco. Su asombro fue grande al descubrir el tamaño de los muros.
RAPIDATO
Los Andes eran parte del Imperio inca. Para hacer más efectivo su poderío, los incas construyeron miles de kilómetros de caminos y puentes colgantes para atravesar ríos y quebradas.

El sábado 15 de noviembre de 1533, los españoles entraron en Cuzco. Grandes áreas de la ciudad ya habían sido incendiadas en la retirada de la armada inca. Sin embargo, Pizarro y sus hombres estaban asombrados por la fascinante arquitectura que aún se mantenía en pie, los palacios reales y templos.
¡Estamos perdidos! Nuestra ciudad está destruida, y el oro, sudor del Sol, es arrebatado de los templos sagrados.
¡Pero qué ciudad es esta! ¡Aquí hay más oro y plata que en todo el mundo cristiano!
Pizarro ordenó el saqueo de la ciudad, y cada pieza de oro y plata fue arrancada de las construcciones y tumbas.

Poco después del saqueo de Cuzco, Pizarro tomó a una joven princesa inca como su concubina, quien más adelante dio a luz al primer hijo del conquistador.

Más adelante, Pizarro concluyó que el Cuzco estaba demasiado lejos del océano Pacífico y el contacto con España. Pizarro dejó allí a sus dos hermanos. Luego, en enero de 1535 fundó la Ciudad de los Reyes (hoy Lima) en las riberas del río Rimac, en la costa.

Entre 1536 y 1537, Cuzco fue asediada por un gran ejército inca. El emperador Manco Inca engañó a Pizarro, y conformó secretamente una armada de 20 000 guerreros. El ejército de Manco tomó a los españoles por sorpresa.
¡Ahora que el gran Manco Inca es libre destruiremos a los forasteros y recuperaremos nuestra tierra!
¡Conquistadores, a la carga! Debemos mantener a los guerreros incas atrás.

El sitio de Cuzco duró 10 meses, durante los cuales los incas acumularon muchas victorias. Lima también fue asaltada por uno de los generales de Manco, Quizo Yupanqui. El conquistador Alonso de Alvarado arribó a Lima y ayudó a Pizarro a derrotar al ejército inca que rodeaba la ciudad.
Los españoles vencieron a los incas en la batalla de Sacsayhuamán, en las afueras de Cuzco, en mayo de 1536. Aunque los españoles retomaron el control, la ciudad seguía rodeada por fuerzas hostiles.
RAPIDATO
Los guerreros incas combatían contra los caballos de los españoles con "bolas", 2 o 3 rocas amarradas, que al ser arrojadas contra las patas de los caballos, hacían que estos se enredaran y cayeran.

EL RESCATE DE LOS ESPAÑOLES

Los hermanos de Francisco Pizarro eran tan implacables como él. Su sed de oro y el maltrato contra los incas condujo a una rebelión y al sitio del Cuzco, además de una guerra civil entre uno de los primeros compañeros de Pizarro, ahora enemigo, Diego de Almagro, quien regresó al Cuzco luego de una infructuosa expedición por Chile.

Francisco Pizarro no pudo brindarles ayuda a sus hermanos, atrapados en Cuzco. Sus tropas habían sido víctimas de una emboscada inca y tuvieron que regresar a Lima. El 18 de abril de 1537, el sitio de Cuzco terminó cuando el ejército de Diego de Almagro entró a la ciudad.

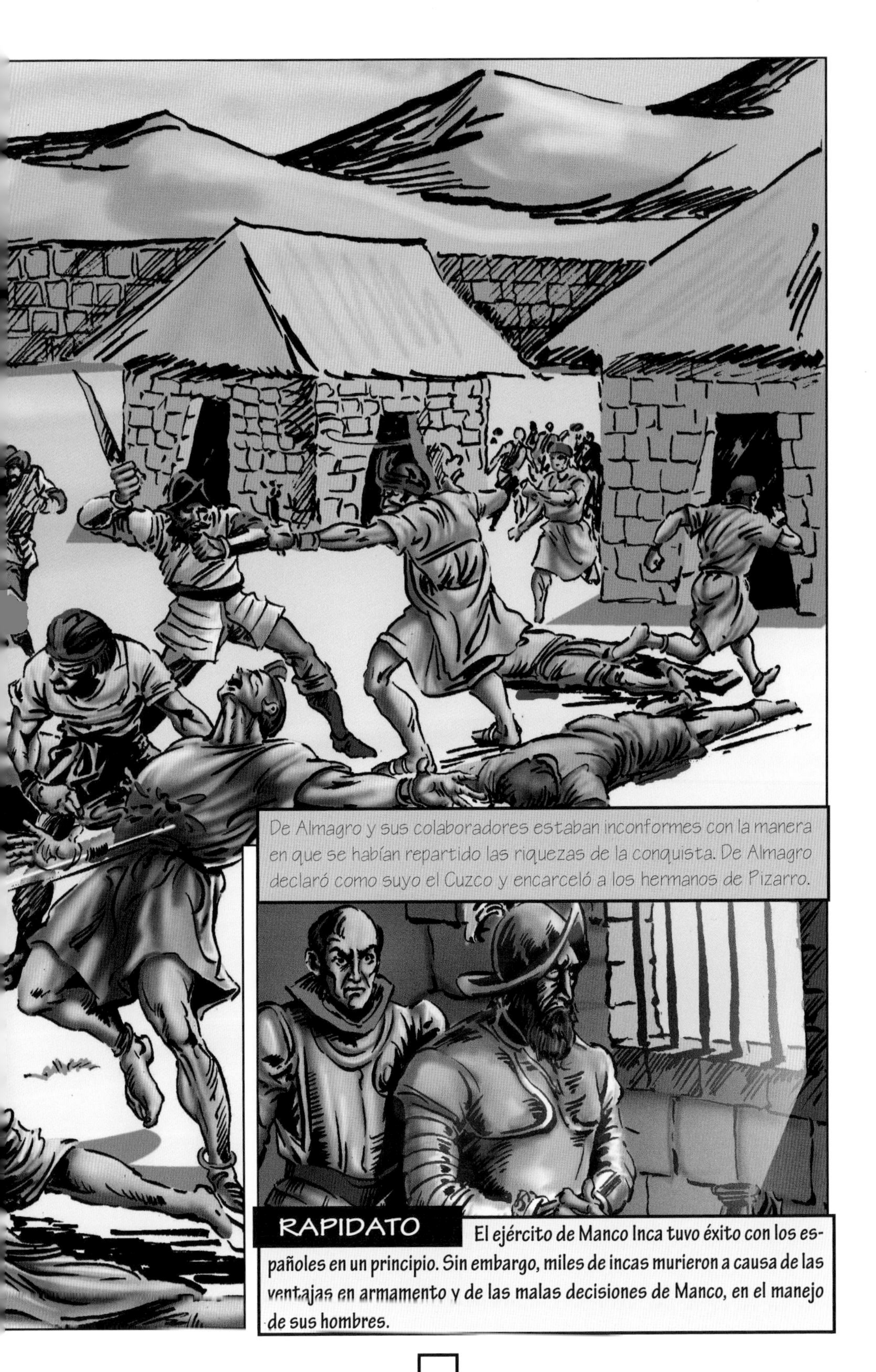

RAPIDATO El ejército de Manco Inca tuvo éxito con los españoles en un principio. Sin embargo, miles de incas murieron a causa de las ventajas en armamento y de las malas decisiones de Manco, en el manejo de sus hombres.

Las diferencias entre De Almagro y Pizarro nunca se resolvieron. Gonzalo escapó de prisión y, luego de la liberación de Hernando, conformaron un ejército que derrotó a De Almagro en la batalla de Las Salinas, en las afueras de Cuzco, el 26 de abril de 1538.

De Almagro fue puesto en prisión en el Templo del Sol inca en Cuzco. Sus súplicas fueron ignoradas y Hernando Pizarro ordenó que fuera golpeado y luego decapitado.

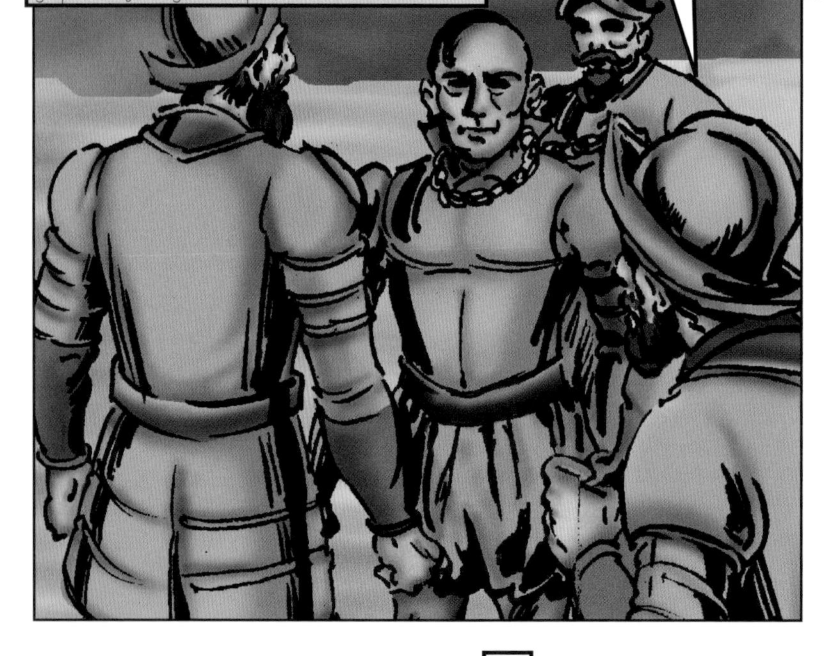

¡Ataquen, debemos vencer a los Pizarro y declarar Perú como territorio de De Almagro!
En 1539, Hernando Pizarro regresó a España, para enfrentar los cargos de homicidio por la ejecución de De Almagro. Fue a juicio, en el que lo encontraron culpable y lo enviaron a prisión.

Gonzalo Pizarro emprendió una nueva expedición en la selva oriental en busca de más riquezas. Sin embargo, la exploración fue totalmente infructuosa y Gonzalo regresó con las manos vacías. Su compañero, Francisco de Orellana, continuó en la expedición y llegó hasta el río Amazonas.
¡Remen, remen! ¡Vamos en busca de El Dorado!

El domingo 26 de julio de 1541, los conspiradores llevaron a cabo su plan. Liderados por Juan de Herrada, entraron en la casa de Pizarro y lo atraparon junto a varios amigos suyos que se encontraban allí. Pizarro dio la pelea, pero no pudo salvarse; fue asesinado con una puñalada en la garganta.

El cuerpo de Pizarro fue enviado a Lima, a la catedral, donde recibió sepultura.
Debemos sepultarlo tan pronto como sea posible.
Sí, ¡antes de que sus seguidores nos encuentren!

Los restos de Francisco Pizarro, hijo ilegítimo y analfabeto, conquistador de los incas y Marqués de las Indias, reposan todavía en la catedral de Lima.
FRANCISCO PIZARRO
RAPIDATO
Aparte de su esposa y algunos amigos cercanos, Francisco Pizarro fue abandonado por todos aquellos que se enriquecieron a su lado. Muchos quisieron negarle la cristiana sepultura y colgar su cuerpo en una plaza pública.

LÍNEA DEL TIEMPO

La vida de Francisco Pizarro empezó muy pobre, pero nunca se sospechó que su mayor obra sería la conquista del más grande imperio creado por los indígenas americanos. La vida de Pizarro estuvo marcada por la aventura, la crueldad, las masacres y la decepción, así como por grandes hazañas y muestras de valentía y fortaleza. Fue víctima de su propia avaricia, la que también lo convirtió en enemigo de su colaborador Diego de Almagro, con quien se disputó en una guerra civil, que destruyó la civilización inca y traicionó de la manera más cruel a los nativos peruanos.

1475: *Pizarro nace en Trujillo, España.*

1502: *Pizarro viaja a las Américas, donde pasa diez años de su vida en la isla La Española, en el Caribe.*

1513: *Pizarro se une a la expedición de Vasco Núñez de Balboa, en la cual se descubre el océano Pacífico.*

1514-24: *Pizarro se establece en Panamá, donde planea expediciones por Sudamérica, con Diego de Almagro.*

1519-21: *Hernán Cortés descubre y conquista el Imperio azteca.*

1524: *Pizarro hace su primer viaje a lo largo de la costa de Colombia.*

1526: *Pizarro hace su segundo viaje y llega hasta la costa de Ecuador. Pasa siete meses en la isla Gorgona.*

1528: *Pizarro viaja a España en busca del permiso de Carlos V para realizar un tercer viaje.*

1529: *Guerra civil entre el emperador inca Huáscar y su medio hermano Atahualpa.*

1530: *Pizarro navega hacia el sur y arriba a la costa norte del Perú.*

1532: *Pizarro funda el primer asentamiento europeo en Piura, luego continúa explorando los Andes, captura a Atahualpa y se toma la ciudad inca de Cajamarca.*

1533: *el oro y la plata de Atahualpa son llevados a Cajamarca; Pizarro ejecuta al emperador y distribuye las riquezas entre sus hombres. Los españoles se toman el Cuzco.*

1535: *Diego de Almagro viaja al sur para conquistar Chile; Pizarro funda Lima en la costa peruana como capital de Nueva Castilla.*

1536-7: *: Cuzco es asediada por el ejército del emperador Manco. Diego de Almagro libera la ciudad, la reclama como suya y encarcela a los hermanos de Pizarro.*

1538: *el ejército de De Almagro es derrotado en la batalla de Las Salinas por los hombres de Hernando Pizarro. De Almagro es ejecutado.*

1540: *Gonzalo Pizarro lidera una expedición al Amazonas en busca de El Dorado.*

1541: *Francisco Pizarro es asesinado en Lima por los simpatizantes de Diego de Almagro.*

¿SABÍAS QUE...?

1 El descubrimiento de América en 1492 coincidió con la victoria de los españoles sobre el último reino musulmán en Granada. España ahora era una nación reunificada. Muchos conquistadores sin empleo veían la posibilidad de viajar a las Américas para probar fortuna.

2 La mayoría de los conquistadores eran campesinos españoles analfabetos, fuertes y valientes, pero también sedientos de oro y mujeres. No estaban interesados en asuntos morales o religiosos, y trataron a los indígenas cruelmente.

3 La mayor parte del oro encontrado en Panamá, Colombia y Perú estaba en forma de estatuas sagradas, máscaras y joyería. No se trataba de oro puro, sino de una mezcla entre oro y cobre conocida como tumbaga.

4 Los españoles llevaban consigo enfermedades europeas a Centroamérica y Sudamérica. Los indígenas no eran inmunes a estos males, y millones de ellos murieron de influenza y viruela, entre otras enfermedades.

5 La guerra civil entre los incas Atahualpa y Huáscar se originó por la muerte repentina de su padre, Huayna Cápac, que ocurrió antes de que este hubiera elegido a su sucesor. Es probable que haya muerto a causa de alguna enfermedad europea adquirida mucho antes de la llegada de Pizarro.

6 Para los incas, su emperador era un ser divino, al que llamaban hijo del Sol, refiriéndose a su dios solar supremo, Inti. El oro era llamado "sudor del Sol", y la plata se conocía como "las lágrimas de la Luna".

7 Cuando Pizarro llegó al Perú, en 1532, Atahualpa había subido al trono recientemente, luego de vencer a su rival Huáscar; luego de esto, se disponía a viajar al Cuzco para ser coronado, pero infortunadamente se detuvo en Cajamarca al enterarse de la llegada de los españoles.

8 Los emperadores incas eran embalsamados y momificados, de manera que pudieran alabarse como dioses.

9 Pizarro y sus conquistadores estaban asombrados de la eficiente organización del Imperio inca. Los españoles pudieron llegar al Cuzco gracias a los caminos construidos por los incas, que incluían paradas (tambos) en las que encontraban comida y ropa, además de los puentes colgantes para cruzar cañones y ríos.

10 Pizarro recompensó a sus hombres con riquezas del Imperio inca, oro, plata y piedras preciosas, de acuerdo con la tenacidad demostrada en la batalla. Para hacer más fácil el procedimiento, Pizarro ordenó derretir las estatuas y piezas originales y convertirlas en lingotes. La quinta parte de todo el tesoro fue reservada para la Corona española; el resto se distribuyó entre los conquistadores y soldados.

11 Muchos conquistadores tomaron a las mujeres de la realeza inca como esposas y concubinas. Los hijos nacidos de estas dos razas eran llamados mestizos. Muchos de ellos se convirtieron en figuras importantes de su época.

GLOSARIO

Apu: *gobernante inca, jefe de una de las cuatro regiones administrativas del Imperio.*

Arcabuz: *forma primitiva de rifle. La pólvora era cargada directamente en la boca del arma. Los arcabuces fueron usados por todos los conquistadores en América.*

Cajamarca: *ciudad inca en la región norte de los Andes peruanos, construida cerca de manantiales termales. Atahualpa conoció allí a Pizarro.*

Chasqui: *mensajeros oficiales de los incas, que corrían de una parada a otra, en la que un compañero suyo recibía el mensaje y continuaba con la carrera.*

Camayoc: *oficial inca.*

Chile: *nombre moderno del país sudamericano conformado por una gran parte de los Andes y la zona adyacente de la costa pacífica. El área fue avistada por primera vez durante la expedición de Diego de Almagro.*

Cápac: *persona poderosa e influyente en el Imperio inca.*

Conquistadores: *soldados españoles que tomaron parte en el descubrimiento y la conquista de las Américas.*

Coricancha: *templo del dios Sol, Inti, en Cuzco. Fue construido con los más finos materiales del Imperio y sus muros interiores estaban incrustados con oro y plata.*

Coya: *reina inca o mujer de alta alcurnia. Las coyas se asociaban en la religión inca con la Luna y la plata.*

Curaca: *jefe principal de una población inca.*

Cuzco: *ciudad imperial inca localizada en la parte central de los Andes peruanos. Construida con la forma de un puma, contenía los mejores palacios y templos del Imperio, adornados con piedras preciosas, oro y plata.*

Garrote: *máquina española de ejecución, que consistía en atar una cuerda alrededor del cuello y girarla con una manivela hasta asfixiar al condenado. De esta manera fue ejecutado Atahualpa*

Hidalgo: *término usado para referirse a un español hijo de un hombre con buen estatus social.*

Indígenas: *término que designa a los nativos de las Américas. Colón los llamó erróneamente indios, pues en un principio pensaba que había llegado a India.*

GLOSARIO

Inti: *nombre del dios Sol inca, deidad suprema y patrono de la realeza inca.*

Lima: *capital del Perú actual, originalmente fundada por Francisco Pizarro como la Ciudad de los Reyes, el 5 de enero de 1535, situada en las riberas del río Rimac de la costa pacífica de este país.*

Nueva Castilla: *nombre español asignado al área conquistada por Pizarro, ahora ocupada casi en su totalidad por Perú.*

Oro: *el oro de los indígenas generalmente era una mezcla con cobre (y en ocasiones plata) para producir tumbaga, considerada un elemento sagrado. Los europeos, sin embargo, estaban interesados únicamente en el valor del oro.*

Peso: *nombre asignado a la moneda española. En la época de la conquista, un peso oro equivalía a 180 000 pesos colombianos, y un peso plata equivalía a 110 000 pesos colombianos.*

Quechua: *nombre de la lengua imperial hablada por los incas.*

Requerimiento: *lectura de un documento oficial proveniente de España en el que se requería el sometimiento de un enemigo ante la fe cristiana y la Corona española, sin importar si el destinatario hablaba o no español.*

Sacsayhuamán: *construcción monumental inca (muros en zigzag y torres) con vista al Cuzco, hecha de bloques poligonales de roca. Originalmente era un templo, aunque fue usada como fortaleza por los incas y los españoles durante la época de la conquista.*

Sapa Inca: *persona inca de alta jerarquía, por ejemplo, el Emperador.*

Tahuantinsuyu: *literalmente, "la tierra de los cuatro cuartos", es decir, "el mundo completo". Era el nombre que los incas le dieron a su Imperio.*

Tambo: *estación situada en los caminos incas. Sus bodegas o "collcas" se mantenían equipadas con comida, vestimenta y armas. Los tambos eran parte del sistema que mantenía en buen funcionamiento al Imperio.*

Tumbes: *ciudad de la costa norte peruana y primer sitio de llegada de Pizarro al Perú. Mucho antes fue tomada por los incas como parte de su imperio y después de la conquista fue una ciudad colonial española.*

ÍNDICE